scheidsrechters-
stoel

scorebord

toeschouwers

massage

racket

slijtageplekken

AVI:	E5
Leesmoeilijkheid:	woorden met -g, uitgesproken als -sj (garage, logeren)
Thema:	tennis

Z Zwijsen

Peter Vervloed
Vals spel!

met tekeningen van Els van Egeraat

Bikkels

Naam: *René Martens*

Ik woon met: *mijn moeder Juul, mijn vader Tim en mijn tweelingzus Renate*

Dit doe ik het liefst: *tennissen*

Hier heb ik een hekel aan: *verliezen*

Later word ik: *proftennisser*

Mijn grootste wens: *weer kunnen lopen*

1. Een feestje in een rolstoel

Natuurlijk weet René dat iedereen het beste met hem voor
heeft. Al die vrolijk lachende gezichten, de schouderklopjes
en knipoogjes zeggen meer dan genoeg. Waarom voelt hij
zich dan zo verdrietig? Maandenlang heeft hij naar deze
dag toegeleefd. Nu het eindelijk zover is, zit hij erbij alsof
hij elk moment in huilen kan uitbarsten.
Hij zit, ja! En hij zal nooit meer kunnen staan. 'Rolstoel,
rotstoel!' scholden de kinderen in het revalidatiecentrum.
Daarbij sloegen ze keihard op de wielen. Meestal lachten ze
daarbij, maar vaak was het ook een schreeuw van ellende.
'Rolstoel, rotstoel!'

Het is nu bijna een jaar geleden dat René nog kon fietsen.
En hard ook! Hij stopte voor niets of voor niemand.
Zijn tweelingzus Renate had altijd de grootste moeite hem
bij te houden. Steeds vond hij wel een gaatje waar hij net
tussendoor paste, of net niet ... en dan moesten voetgangers
wegspringen om niet door hem omver gereden te worden.
Op die fatale dag is hij zelf omver gereden. En niet zo zuinig ook!
Hij fietste samen met Renate van de tennisles terug naar
huis. Aan weerskanten van de smalle landbouwweg ston-
den de maïsplanten bijna twee meter hoog. Om de bocht
naar links af te snijden, slingerde René zo ver mogelijk naar
de andere weghelft toe. Hij kon de brede bladeren van de

9

maïsplanten aanraken. Hij deed het ook. Daarom lette hij niet op de auto die uit het niets voor hem opdoemde. De automobilist had hem ook niet gezien, want het maïsveld benam hem het meeste uitzicht. Als de boer asperges verbouwd had, zou het ongeluk waarschijnlijk nooit gebeurd zijn. Als, als, als ...

Bovendien, wie rekent er nou op een sprintende jongen aan de verkeerde kant van de weg?

Deze automobilist in ieder geval niet. Toen hij uit alle macht remde, was René al lang en breed over zijn motorkap gerold. Dat is hem later allemaal verteld, want pas na een week ontwaakte hij uit zijn coma die alle herinneringen aan het ongeluk uit zijn geheugen gewist had.

De boodschap dat hij nooit meer zou kunnen lopen, leek uit een andere wereld te komen. René geloofde er geen woord van. De schrammen en blauwe plekken op zijn gezicht heelden snel. De open wond aan zijn onderbeen deed er iets langer over, maar veranderde toch in een onschuldig litteken.

Wel stoer, zo'n maanlandschapje, vond Renate. Ook zijn hersens hadden de klap overleefd. Alleen ... zijn benen wilden geen opdrachten meer uitvoeren. Ze bleven doodstil liggen als hij ze beval uit bed te glijden en op de vloer te gaan staan. Hij kon geen enkele spier in zijn benen meer in beweging krijgen.

René kon nog zo kwaad worden, smeken, huilen, stompen en slaan ... het resultaat bleef hetzelfde. Door de klap van de aanrijding waren de zenuwen in zijn onderrug dwars doormidden gesneden. Vandaar dat hij snel een nieuw moeilijk woord leerde: dwarslaesie.

René kon niet geloven dat de zenuwen in zijn rug nooit meer zouden werken. Een keer had hij zich zelfs uit bed laten vallen. Op die manier wilde hij zijn benen dwingen in actie te komen. In zijn val sleepte hij een bijna vol pak appelsap en een paar trossen druiven mee. Een glas water kletterde aan stukken en een boek plofte erachteraan. De ravage was enorm, maar zijn benen bleven verlamd.

De aanstormende verpleger en verpleegster probeerden hem te kalmeren, maar daar was geen beginnen aan. Hij schreeuwde, riep, schold en sloeg naar iedereen die in de buurt waagde te komen. Alleen schoppen ging niet. Pas toen ze hem een injectie hadden gegeven, zonk hij weg in een diepe slaap. In zijn dromen liep hij zoals de meeste mensen, de normaalste zaak van de wereld.

René kijkt op zijn horloge. Het officiële gedeelte begint over een paar minuten. Eigenlijk hoeft het voor hem allemaal niet. Hij wil gewoon lid zijn van de tennisclub, precies zoals voor dat ongeluk met zijn fiets. Niet meer en niet minder. Vooruit, iets minder dan: zittend.

'Hoe voel je je nu?' klinkt een stem. René kijkt op. Zijn vader knikt glimlachend naar hem. 'Niet jarig en toch een feestje met een prachtig cadeau.'

René haalt zijn schouders op. 'Ik wil lekker tennissen, meer niet.'

'Je zult toch eerst door de zure appel heen moeten bijten. De club heeft hard gewerkt om deze dag mogelijk te maken.'

'Dankzij de voorzitter die hier voor me staat,' merkt René op.

Zijn vader laat zich op zijn hurken zakken en pakt hem bij zijn armen.

Daar heeft René een verschrikkelijke hekel aan. Kleuterjuffen doen dat ook altijd om een kind te troosten of bestraffend toe te spreken. Een kleuter heeft daar geen moeite mee. Maar hij ...

Papa, ik ben geen klein kind meer! zou hij hem willen toeschreeuwen. Ik ben een jongen van tien jaar. Daarvoor hoef je niet door je knieën te gaan, ook al zit die jongen toevallig in een rolstoel. Als jij een stukje buigt, richt ik mijn hoofd een beetje op.

Hij zegt niets, want hij weet dat zijn vader alles zal doen om het hem naar de zin te maken. Vandaar deze feestelijke dag: de introductie van rolstoeltennis bij Tennisvereniging Udenhout.

In het revalidatiecentrum hadden de begeleiders hem al gewaarschuwd.

'De meeste mensen hebben het beste met je voor, maar daardoor maken ze het je vaak moeilijk. Neem het ze niet kwalijk als ze je willen helpen met dingen die je zelf best kunt doen. Zeg er netjes iets van. Vertel rustig dat je zelf aangeeft wanneer je hulp nodig hebt.'

Maar dat is gemakkelijker gezegd dan gedaan. Meestal wordt René al geholpen, voordat hij er iets van kan zeggen. Vooral zijn moeder heeft daar een handje van. Maar ja, dat deed ze ook al voordat hij gehandicapt raakte. Niet alleen voor hem staat ze altijd klaar, maar ook voor Renate.

Maar juist hij kan er nu niet meer tegen. Het lijkt zelfs of hij meer dingen zelf wil doen dan vóór die dwarslaesie. René heeft in de afgelopen tijd in het revalidatiecentrum veel geleerd en ... afgeleerd.

'Rolstoel, rotstoel!'

De eerste keer dat hij kennismaakte met zijn rolstoel, zal René nooit vergeten. Het zitten gaat gemakkelijk, maar het rijden vraagt behendigheid en kracht. Omdat hij de bochten te scherp nam, reed hij tegen muren, karretjes met geneesmiddelen en bandages en verpleegsters op. Dat laatste was wel leuk.

René zag het rijden met zijn rolstoel als een sport en in sport is hij altijd goed geweest. Bovendien heb je in een rolstoel weinig kans om nogmaals een ongeluk te krijgen. Dus racete hij als een volleerd coureur door de gangen van het revalidatiecentrum. Hij hield zelfs wedstrijdjes met andere gehandicapten, waarbij hij met piepende banden de bochten nam en het personeel de stuipen op het lijf joeg.

'Rolstoel, rotstoel!'

Maar hij moest een heleboel doodnormale dingen opnieuw

leren. Van je rolstoel in je bed ... en weer terug, onder de douche ... en weer terug, op de wc ... en weer terug, van je gewone rolstoel naar je sportstoel ... en weer terug. Dat viel allemaal niet mee, want op die momenten werd hij er dubbel aan herinnerd dat hij gehandicapt is en dat een heleboel dingen niet meer vanzelfsprekend zullen gaan.

Uit de luidsprekers schalt muziek. Een bekende volkszanger zingt over de mooie benen van zijn vriendin. Zeer toepasselijk. Renate komt naar hem toe rennen. 'Gezellig, hè?' Weer haalt René zijn schouders op.
'Ik moet mijn toespraakje houden,' zegt zijn vader, terwijl hij overeind komt. 'Blijven de twee R's even bij elkaar?' Onwillekeurig moet René lachen. Dit grapje heeft hij al minstens honderd keer gehoord. Voor hun geboorte wisten zijn ouders al dat hun voornamen met dezelfde letter zouden moeten beginnen. Het is de 'R' geworden. De eerste R die huilend het daglicht zag, was René. Hij is de oudste, al scheelt hij maar tien minuten en vanaf nu ook een paar gezonde benen met zijn zus.
'Beste mensen,' klinkt de stem van de vader van René. 'Ik zal het kort maken, want ik ben niet het feestvarken. Dat varkentje zit daar: René Martens, de eerste tennisser die in een rolstoel de banen van onze club onveilig zal gaan maken. Ik hoop dat nog veel rolstoeltennissers de weg naar onze vereniging zullen vinden. Na maandenlange revalidatie kan René in ieder geval zijn geliefde sport hier bij

zijn oude club blijven beoefenen. Ik dank het bestuur, de sponsors en de vele vrijwilligers die gezorgd hebben voor de noodzakelijke aanpassingen. Mijn zoon zal zich hier weer thuis kunnen voelen zoals vóór die verschrikkelijke dag ...' Hier stokt zijn stem. Hij draait zijn hoofd weg van de microfoon en zoekt zenuwachtig naar zijn zakdoek. De toehoorders wachten in stilte. René kijkt strak naar beneden, zijn zus die achter hem is gaan staan, pakt zijn schouders beet en knijpt erin. Kom op, papa, denkt René. We hebben genoeg gejankt.

Hij kijkt weer op en ziet dat zijn moeder naast zijn vader is gaan staan. Ze omhelzen elkaar. Nu moet hij zelf naar zijn zakdoek zoeken. Zijn tweelingzus reikt hem de hare aan. Het is een flinterdun stukje textiel, lang niet genoeg voor zijn tranen.

We hebben de eerste maanden na het ongeluk dozen vol papieren zakdoekjes nodig gehad en nu staan we weer te grienen. Dat moet afgelopen zijn, denkt René. Hij gaat rechtop zitten, maakt zich zo lang mogelijk en roept: 'Ik heb zin om een balletje te slaan, papa!'

2. Twee keer stuiten

Lachend draaien alle hoofden zijn kant op. René bloost.
Hij voelt zich alsof hij in een etalage staat. Is er een winkel
waar ze mode voor rolstoelers verkopen? vraagt hij zich af.
Hij glimlacht door zijn tranen heen.
Zijn vader steekt zijn hand op. 'Dat is een goeie! Ik heb
genoeg gepraat. De voorzitter zal nu een wedstrijd gaan
spelen tegen de eerste rolstoeltennisser van onze club: René
Martens. Hij heeft een jaar moeten overslaan, maar ik weet
bijna zeker dat hij dit jaar toch weer clubkampioen van de
jeugd wordt.'
Het applaus klatert langs de kunstgrasbanen die geduldig
in de zon liggen te wachten.

René wrijft liefkozend over de velgen van zijn sportstoel.
Hij heeft hem gisteren samen met Renate gepoetst en nu
glanst hij alsof hij gloednieuw is. Hij bekijkt zijn karretje
alsof hij hem voor het eerst ziet. De grote wielen aan weerskanten van de kuip vormen een omgekeerde V. Daardoor
heeft hij een goede grip op het kunstgras en kan hij toch
gemakkelijk wenden en keren. Aan de voetensteunen
hangen kleine wieltjes die zorgen voor extra houvast op de
baan. Door het verstelbare wieltje achter de stoel kantelt hij
in het heetst van de strijd niet achterover.
De sportstoel weegt nog niet de helft van zijn gewone stoel
en mag dus met recht een sportstoel genoemd worden.

René is apetrots op zijn karretje, al is het een tweedehands koopje via internet. Aan de randen van de leren kuipstoel zitten een paar flinke slijtageplekken, maar verder is hij helemaal in orde. Het ding had meer dan vijftienhonderd euro gekost. René weet dat zijn ouders dat geld uit het vakantiepotje gehaald hebben.

Toen hij voorzichtig iets zei over terugbetalen, wilden zij daar niets van weten. Zijn vader vroeg zelfs lachend of hij de komende twintig jaar zijn zakgeld kon missen.

'Als jij laat zien dat we die stoel niet voor niks gekocht hebben, is het geld goed besteed,' voegde zijn moeder eraan toe.

Nou, dat heeft hij tijdens het revalideren laten zien! Op school mag je in je handen klappen als je tweemaal per week naar de gymzaal kunt, maar in het centrum stond elke dag sport op het rooster.

Ook in je vrije tijd kon je sporten zoveel als je wilde. René heeft er gezwommen, gebasketbald en natuurlijk getennist, véél getennist. Tijdens het sporten kon hij zich helemaal uitleven en vergat hij even alle nare gebeurtenissen.

Bij het rolstoeltennis had hij een voorsprong op zijn tegenstanders, omdat hij in zijn vorige leven fanatiek getennist had. De eerste beker die hij als rolstoeltennisser gewonnen heeft, staat naast zijn computer te pronken in zijn slaapkamer.

'Zeg maar wanneer ik de garage in moet duiken om een prijzenkast voor je te timmeren,' had zijn vader opgemerkt.

'Onze zoon wordt topsporter,' had zijn moeder met een vleugje trots in haar stem gezegd. 'Ik heb op internet gelezen dat rolstoeltennis uitgevonden is door een Amerikaan. Hij heet Brad Parks en hij heeft ervoor gezorgd dat het op dit moment de snelst groeiende rolstoelsport is. Hij heeft er flink wat geld mee verdiend, want hij is proftennisser geworden. Een Nederlands meisje is trouwens nummer één van de wereld. Misschien is dat voor jou ook weggelegd, René.'

'Dus een nog grotere prijzenkast!' had zijn vader met een overdreven uithaal geroepen.

'Ik word jouw coach en geef je natuurlijk op tijd een massage om je spieren soepel te houden,' had Renate gezegd.

'Hé dromer, tennissen we nog?'

René schrikt en kijkt omhoog in het gezicht van zijn vader. 'Jazeker.'

'We spelen een demonstratiepartij, René,' zegt zijn vader. 'Dus zo serieus hoeft het er vandaag niet aan toe te gaan.'

René knikt. Hij weet wat zijn vader bedoelt. Op de club staat hij bekend als een felle speler. Hij kan driftig worden op momenten dat zijn slagen niet lukken. Een keer heeft hij zelfs zijn racket tegen de grond kapot gemept. Dat kostte hem toen de winst van het jeugdtoernooi. Bovendien mocht hij zich twee weken lang niet op de tennisclub laten zien. Zijn vader moest hem als voorzitter van de club die schorsing officieel mededelen. Dat vond René verschrikkelijk. En zijn vader niet minder. Sindsdien probeert René zich in te houden en tot tien te tellen als zijn bloed weer begint te koken bij een gemiste bal.

De tribune bij baan één zit vol toeschouwers. René rijdt vakkundig de baan op, alsof hij niet anders gewend is. Hij merkt dat de toegang verbreed is, zodat hij er met zijn rolstoel gemakkelijk doorheen kan. Zijn vader heeft overal aan gedacht.

'Hierbij verklaar ik onze tennisclub officieel toegankelijk voor rolstoeltennissers!' roept zijn vader, terwijl hij een bal naar René aan de andere kant van het net slaat. Het publiek applaudisseert. René rolt naar de bal toe, draait zijn stoel een halve slag en slaat de bal hard terug. Zijn vader is te laat en mist.

'Ik dacht dat je hem twee keer zou laten stuiten!' roept hij naar René.

'Dat mág ik wel, maar het was niet nodig,' lacht René. 'Zo scherp was jouw bal niet.'

De volgende ballen retourneert René ook snel. Slechts een paar keer moet hij ze tweemaal laten stuiten. Daar baalt hij van, want René wil eigenlijk geen gebruikmaken van die speciale regel voor rolstoeltennissers. Omdat zijn tegenstander erop rekent dat hij de bal tweemaal laat stuiten, slaat hij hem het liefst direct terug. Dan is de verrassing groter en kan hij sneller scoren.

Zijn vader keert zich met een verongelijkt gezicht naar het

publiek. 'Nu dacht ik eindelijk een keer van mijn zoon te kunnen winnen, krijg ik nóg een pak slaag van hem!'

De mensen op de tribune lachen. 'Zet 'm op, René!' hoort hij. Hij herkent de stem van Renate.

Ze tennissen nog een paar minuten.

René gaat zo op in zijn spel dat hij vergeet dat hij staat te spelen voor een overvolle tribune. Hij vergeet zelfs dat hij de enige rolstoeltennisser van de club en dus een uitzondering is.

'Zullen we een wedstrijd spelen, papa?' vraagt hij.

Zijn vader schudt zijn hoofd. 'Ik vind het genoeg voor vandaag.

Misschien wil iemand anders een balletje slaan tegen deze prof?' vraagt hij aan de tribune.

De toeschouwers kijken elkaar aan.

'Durft niemand tegen mijn zoon te tennissen?' roept de vader van René ongelovig. 'Ik heb hem flink moe gemaakt en jullie moeten ook gemerkt hebben dat het percentage gemiste ballen aan het stijgen is.'

'Van jou, ja!' klinkt het vanaf de tribune. Het is Renate weer. Uitbundig gelach klinkt vanaf de tribune.

Een jongen staat op.

'Ik wil het wel proberen.'

René kijkt. Er trekt een rilling langs zijn rug die plotseling afgebroken wordt bij zijn billen. Natuurlijk wil Wouter tegen me tennissen, denkt hij. Een paar maanden geleden is hij voor het eerst jeugdkampioen geworden. Dat was

21

hem nooit gelukt als ik dat ongeluk niet gehad had en dit jaar gewoon mee had kunnen doen aan de clubkampioenschappen. Hij heeft nog geen enkele keer van me kunnen winnen, maar nu denkt hij natuurlijk een kans te maken. Rolstoel, rotstoel!

'Kom maar, Wouter!' roept zijn vader. 'Je mag het van me overnemen. Maar zo gemakkelijk als ik krijg jij het niet.' De aangesproken jongen slaat met zijn racket een paar keer tegen de onderkant van zijn schoen.
'Ik ga in de scheidsrechtersstoel zitten,' gaat de vader van René verder. 'Dat geeft deze wedstrijd een officieel tintje. Per slot van rekening speelt de jeugdkampioen van dit jaar tegen die van vorig jaar. Denk eraan: uit is uit en in is in.'
'Natuurlijk, meneer Martens,' zegt Wouter.
René rijdt naar het net toe. Hij kent het spel van Wouter als zijn broekzak. Hij weet ook dat Wouter heel snel roept dat de bal uit is, terwijl zelfs iemand met één oog kan zien dat hij ruim binnen de lijnen stuit. René mag dan fel spelen, Wouter speelt onsportief: altijd en overal. Ondanks dat heb ik altijd van hem kunnen winnen, denkt René, en dat moet zo blijven ondanks die rotstoel ... eh... rolstoel.
De twee jongens geven elkaar een hand. Belangstellend kijkt Wouter naar de sportstoel van René. 'Gaaf karretje.'
René knikt. 'Jammer genoeg kunnen we niet even ruilen.'
Wouter lacht kort. 'Ik zag dat je vader de ballen rustig naar je toe sloeg. Hij maakte het je niet te moeilijk. Ik zal het

ook kalmpjes aan doen,' zegt hij met een spottend glimlachje.

René slaat met zijn racket tegen de netband. 'Als je dat
maar uit je hoofd laat. Ik heb van niemand medelijden
nodig. En zeker niet van jou!'

3. Ik daag je uit!

René rolt naar de achterste lijn. 'Wil je een paar ballen inspelen?' roept hij naar Wouter aan de andere kant van het net.

'Ja, want ik moet even wennen aan een zittende tegenstander.'

Enkele toeschouwers sissen van verontwaardiging, maar René trekt zich er niets van aan.

Wouter heeft gelijk. Daar hoef je niet moeilijk over te doen.

De eerste ballen vliegen over het net.

René merkt meteen dat Wouter een sterkere tegenstander is dan zijn vader. De ballen komen sneller terug en hij moet meer vaart maken om in de juiste positie te komen om de ballen terug te slaan. Zijn sportstoel heeft het er ook zwaar mee. Het karretje kraakt en piept als René een scherpe bocht moet maken.

'Ik ben er klaar voor!' roept Wouter.

Ze tossen. Wouter mag beginnen met serveren.

'De toss heb ik in ieder geval al gewonnen,' zegt hij.

René grinnikt schaapachtig, want dat geintje is al zo oud als de tennissport zelf.

'Ik mag de bal twee keer laten stuiten als het nodig is,' zegt hij. 'Ook als de bal de tweede keer buiten de lijnen valt.'

Tegen Wouter wil hij extra duidelijk zijn over de spelregels.

Wouter slaat weer met zijn racket tegen de zool van zijn

schoen. 'Dat weet ik en je zult het hard nodig hebben. Zijn er nog meer speciale spelregels waar ik rekening mee moet houden?'

'Nee, nou eigenlijk nog eentje.'

'Welke?'

'Die hoeven we vandaag niet toe te passen.'

'Welke?'

'Het is een waardeloze regel. Niemand houdt zich eraan.'

'Dat is interessant.'

'Als mijn rolstoel kapotgaat, heb ik twintig minuten om hem te repareren. Lukt dat me binnen die tijd niet, dan heeft de tegenstander gewonnen.'

'Een blessure aan je rolstoel?' lacht Wouter. 'Terug naar de garage met dat ding.'

René lacht ook. Dat vindt hij wel een leuk grapje van Wouter. 'Zo zou je het kunnen noemen. Prettige wedstrijd.'

'Prettige wedstrijd.'

Wouter wint de eerste game. 'Die is binnen!' roept hij, terwijl hij naar het scorebord rent en het bovenste gele flapje naar buiten trekt.

Ze wisselen van speelhelft.

René weet dat hij zittend in zijn rolstoel niet zo hard kan serveren als vroeger toen hij nog stevig op zijn benen stond. Dat komt doordat zijn lijf niet ver genoeg boven het net uit komt. Ook is het opgooien van de bal moeilijker. In het revalidatiecentrum heeft hij zich aangeleerd met effect te serveren. Daardoor krult de bal over het net heen en maakt hij na de stuit een gevaarlijke draai naar buiten, de baan uit.

Het lukt hem in zijn eerste opslaggame Wouter te verrassen. Zijn tegenstander is steeds te laat bij de bal, zodat hij geen enkel punt kan scoren.

'Zo, die is binnen!' roept René, harder dan hij van plan was. Vanaf de tribune klinkt applaus. Het publiek staat duidelijk aan zijn kant. Ze hebben vast medelijden met zo'n gehandicapte jongen, denkt René.

Hij rolt naar het scorebord toe en wil het gele plastic flapje aan zijn kant omklappen.

Maar hoe ver hij zijn rug en armen ook strekt, hij kan er niet bij. Met een nijdig gezicht kijkt hij omhoog naar zijn vader.

'Vergeten werk,' zegt zijn vader. 'Daar moeten we nog wat aan doen.'

René voelt tranen van frustratie achter zijn ogen dringen. Hij knippert ze weg, balt zijn vuist en slaat hard op zijn bovenbeen.

Daar voelt hij niets van, maar het lucht wel op. Kom op, laat je niet kennen! klinkt het in zijn hoofd.

'Kom op, René, laat je niet kennen!' hoort hij vanaf de tribune. Het is Renate.

Wouter rent naar het scorebord en klapt, zonder René een blik waardig te keuren, het flapje omlaag: 1-1.

Bij de stand van 2-2 lukt het René door de opslag van

26

Wouter heen te breken. Hij steekt zijn armen omhoog en maakt een overdreven buiging naar het publiek. Wouter smijt zijn racket op de grond.

De vader van René moet van zijn stoel af komen om de juiste score aan te geven, want Wouter loopt er bij het wisselen van speelhelft met gebogen hoofd langs.

'Is je racket niet kapot?' vraag René als hij Wouter passeert.

'Let jij er maar op dat je rolstoel heel blijft,' bijt Wouter hem toe.

René behoudt zijn opslag en wint dus de eerste set met 6-4. Zijn vader steekt zijn duim naar hem op. René rijdt naar het scorebord. Vanuit zijn stoel kan hij wel bij het onderste rode flapje dat de winst van de set aangeeft. Hij klapt het tergend langzaam om.

De toeschouwers joelen. Renate rent naar de baan toe. Vriendelijk knikt ze naar Wouter. 'Het is een mooie wedstrijd, Wouter,' zegt ze. 'Er kan nog van alles gebeuren.'

Blozend haalt Wouter zijn schouders op.

'René heeft jouw opslag maar één keer gebroken,' gaat Renate verder.

'Dat was net genoeg,' zegt René. 'Voor wie ben jij eigenlijk?'

'Voor jou, natuurlijk. En ook een beetje voor je tegenstander.'

'Oh!' roept René, 'heb ik iets gemist?'

Wouter wordt nog roder.

'Kom, we beginnen weer,' zegt hij vlug.

In de vierde game van de tweede set gebeurt het. René slaat weer eens zijn beruchte opslagbal met effect. Wouter rent naar de draaiend wegspringende bal, zet zijn voet verkeerd neer en valt met een schreeuw op het kunstgras. Hij grijpt naar zijn enkel. René kromt zijn rug en heeft de neiging van zijn stoel te springen, maar daar blijft het bij. Hij racet naar Wouter toe en komt gelijk met zijn vader bij hem aan.

'Doet het zeer?' vraagt René overbodig, want Wouter wrijft kreunend over zijn enkel. De vader van René betast het lichaamsdeel voorzichtig.

'Het lijkt mee te vallen,' zegt hij. 'Probeer eens op te staan?' Hij pakt Wouter onder zijn armen vast en trekt hem omhoog. 'Kun je erop steunen?'

Wouter doet het, maar zogauw zijn voet het kunstgras raakt, gilt hij het uit van de pijn.

'Ik heb jammer genoeg geen extra sportstoel bij me,' zegt René. 'Anders had je die van me kunnen lenen, Wouter.'

'Grapje?' vraagt zijn vader met opgetrokken wenkbrauwen. René haalt onverschillig zijn schouders op.

Inmiddels zijn Renate en haar moeder er ook bij komen staan. 'Moet hij niet even naar de dokter?' vraagt zijn moeder.

'We leggen ijs op de zwelling en als de pijn niet overgaat, rijden we naar de eerste hulp,' antwoordt zijn vader.

In het paviljoen wordt Wouter op twee stoelen gezet: een voor zijn billen en een voor zijn enkel. De vader van René trakteert op een glas fris.

Na een kwartiertje kan Wouter weer op zijn voet steunen, maar het gaat nog niet van harte.

'We kunnen niet verder tennissen,' zegt René spijtig.

Wouter pakt zijn tennistas en slingert hem op zijn rug.

'Vandaag in ieder geval niet, maar ik daag je uit voor een volgende wedstrijd. Wanneer je wilt en waar je wilt. Ik zal er zijn!'

René schrikt van de felheid waarmee hij dit zegt. Zelfs Renate heeft het in de gaten.

'Je meent het!' roept ze.

Wouter probeert naar haar te glimlachen, maar hij krijgt de felle uitdrukking niet van zijn gezicht af.

'Zorg er eerst maar voor dat je enkel geneest,' sust Renates moeder.

Wouter loopt naar de uitgang. Hij zet zijn voet nog voorzichtig neer, maar als hij buiten is en langs de glazen schuifdeuren van het paviljoen loopt, gaat het alweer beter.

'We hadden best verder kunnen spelen,' zegt René.

'Wouter mankeert niets meer. Hij stelt zich weer aan, zoals gewoonlijk.'

Renate trekt zuchtend haar mondhoeken omlaag.

'Geef maar toe dat je gewoon van hem wilt winnen.'

René draait zijn rolstoel en rijdt tegen haar benen aan.

Renate stapt achteruit. 'Hé, laat dat!'

'Natuurlijk wil ik van hem winnen,' zegt René. 'En Wouter

ook van mij.'

'Jullie zijn veel te fanatiek,' zegt Renate.

'Ach, loop heen,' mompelt René.

'Ach, rol toch een eind weg,' zegt Renate.

'Renate!' roepen haar vader en moeder tegelijk.

'Sorry,' fluistert ze, maar René schiet in de lach. 'Dat is een goeie!' roept hij.

Nu durft ook Renate te lachen. Ze slaat haar broer op zijn rug, zodat hij inderdaad naar voren rolt en flink bij moet sturen om te voorkomen dat hij met zijn rolstoel een vreselijke ravage aanricht in het paviljoen.

Als René in bed ligt, denkt hij terug aan zijn wedstrijd tegen Wouter. Hij raakt er steeds meer van overtuigd dat zijn tegenstander de blessure aan zijn enkel overdreven heeft. Hij had best na een korte pauze, misschien met een bandage om zijn enkel, verder kunnen spelen. Maar hij wilde voor de ogen van al die toeschouwers natuurlijk niet van mij, een invalide, verliezen.

Met die gedachte muurvast in zijn hoofd valt René in slaap.

4. Onraad in de garage

Het is woensdagmiddag. René is op de oprit een balletje aan het slaan. Hij oefent zijn backhand. Daarvoor moet hij zijn stoel snel naar links draaien en zijn arm zo ver mogelijk strekken. Zijn rug kraakt ervan, maar het lukt hem steeds beter de bal hard tegen de muur te meppen. Een keer komt hij tegen de garagedeur aan en klinkt er een metalige bonk die lang natrilt. Zijn moeder komt naar buiten gerend, omdat ze denkt dat hij uit zijn stoel gevallen is. Ze slaakt een zucht van verlichting als ze hem nog gewoon ziet zitten.

'Wat een herrie maak jij!' roept ze gespeeld boos. 'Ik schrok me een ongeluk!'

'Sorry mama, het was een misser,' zegt René. 'Maar mijn backhand wordt steeds gevaarlijker!'

En weer slaat hij de bal met kracht tegen de muur.

'Waarom ga je niet op de tennisbaan oefenen?' vraagt zijn moeder.

'Geen zin in.'

'Dat heb ik nog nooit van jou gehoord.'

Zijn moeder loopt naar hem toe en voelt met een overdreven gebaar aan zijn voorhoofd. 'Nee, koorts heb je niet.'

'Doe niet zo flauw, alsjeblieft.'

En weer slaat René de bal keihard weg.

De garagedeur klinkt als een gong met barsten erin.

'Wat zit je dwars, René?' vraagt zijn moeder.

'Niets.'

'Verkeerd antwoord, daar trap ik niet in.'

René laat zuchtend zijn schouders hangen.

'Ik heb geen zin om met mijn rolstoel dwars door het dorp te rijden. Iedereen gaapt me aan alsof ik een marsmannetje ben.'

'Dat verbeeld je je maar.'

René veert kwaad op. 'Jij ziet ze niet kijken en wijzen en fluisteren en ...'

'En naar school rijd je wel?'

'Dat is hier om de hoek.'

Zijn moeder neemt zijn hoofd tussen haar handen en wrijft zacht over zijn wangen. René wordt er helemaal week van. Als hij niet in zijn rolstoel gezeten had, zou hij door zijn benen gezakt zijn.

'Je hebt je heel goed door de tegenslagen van het afgelopen jaar heen geslagen, René,' zegt zijn moeder. 'Ik ben trots op je. En ik niet alleen: Renate en papa zijn dat ook. Nu moet je andere mensen de tijd geven te wennen aan het idee dat je gehandicapt bent.'

René rijdt zijn rolstoel achteruit, zodat zijn moeder plotseling met lege handen staat. Hij weet dat ze gelijk heeft, maar dat neemt het gevoel bekeken te worden niet weg. Op school heeft hij daar geen last van. Daar behandelt iedereen hem van het begin af aan als een normaal mens. Maar op straat zeggen de starende blikken van voorbijgangers meer dan genoeg.

René pakt een bal tussen de spaken van zijn rolstoel uit, slaat hem tegen de muur, vangt hem met zijn racket op en slaat hem weer weg. Zo gaat hij door. Zijn moeder kijkt er met bewondering naar. 'Dit zouden alle mensen die jou aanstaren, eens moeten zien!' roept ze.

René glimlacht naar haar, raakt de bal met het frame van zijn racket en slaat weer tegen de garagedeur aan.

'Dit niet!' roept hij terug.

Hoofdschuddend loopt zijn moeder weg.

Nadat hij de backhand geoefend heeft, traint René zijn opslag.

'Hoi René!' hoort hij plotseling achter zich.

Hij keert zijn rolstoel om en kijkt in het gezicht van Wouter.

'Wat doe jij hier?' vraagt hij. Zijn stem klinkt verbaasd en geprikkeld.

'Ik kom net terug van paardrijles in de manege en ik hoorde jou slaan. Lukt het?'

'Natuurlijk. Wanneer wil je nog een keer tegen me tennissen?'

'Zeg het maar.'

'Aanstaande zaterdag om drie uur?'

Wouter knikt. 'Dat is goed. Ik zal er zijn.'

De moeder van René rent in paniek de oprit op. Als ze Wouter ziet, legt ze een hand op haar borst en slaakt ze een zucht van verlichting.

'Oh, dag Wouter.'

'Wat kom je nu weer doen?' vraagt René.

Zijn moeder krijgt een kleur. 'Ik hoorde al een tijdje niets meer, dus ik dacht dat er iets niet in orde was.'

René draait zuchtend met zijn ogen. 'Ik zit er nog steeds prima bij.'

'Lust je een glas fris?' vraagt zijn moeder aan Wouter.

'Graag, mevrouw.'

'Jij ook, René?'

De twee jongens zitten aan de keukentafel achter een glas cola. René heeft zijn sportstoel verruild voor zijn gewone rolstoel. Dat overwippen van de ene naar de andere stoel kan hij zelf en het kost hem steeds minder moeite. Zijn moeder heeft hem alleen even moeten helpen met het op de juiste plaats zetten van de lege stoel. Daarna is ze naar de badkamer gegaan om de wasmachine te vullen.

'Ik heb de laatste tijd alleen maar sportkleding in de was,' had ze met een plagerig glimlachje gezegd. 'Dat is jouw schuld, René.'

Ze had met haar vingers liefkozend door zijn haar gekroeld.

'Wil je mijn sportstoel even in de garage zetten?' vraagt René aan Wouter als hij merkt dat het karretje nog steeds bij de keukendeur staat.

'Je bent wel zuinig op je stoel,' zegt Wouter, terwijl hij opstaat.

'Dat ben jij toch ook op je manegepaard?' lacht René.

35

'Die stoel is zo licht als een veertje!' roept Wouter bewonderend uit als hij terugkomt.

'Het is maar een tweedehandsje,' zegt René. 'Als ik veel geld heb, koop ik het nieuwste model: een Off Car Top Spin met een rood frame. Dat is de Ferrari onder de sportstoelen, maar hij kost compleet meer dan zesduizend euro.'

'Zesduizend euro?' vraagt Wouter. 'Voor een paar fietswielen met een bakje ertussen?'

'Het is veel geld, ja,' geeft René toe. 'Maar hij wordt helemaal op maat gemaakt.'

Aan de keukentafel wordt het stil.

René weet niet wat hij tegen Wouter moet zeggen. Hij heeft altijd tegen hem getennist, maar nooit tegen hem gepraat. Dat geldt ook voor Wouter.

'Is Renate niet thuis?' vraagt Wouter plotseling.

René schrikt op uit zijn gedachten. 'Nee, ze is bij een vriendin. Kan ik soms een boodschap doorgeven?'

'Hoeft niet,' antwoordt Wouter, terwijl hij bloost. Hij neemt vlug de laatste slokken van zijn frisdrank en springt van zijn stoel. 'Ik ga, want ik moet even terug naar de manege.'

'Wat heb je ineens een haast!' roept René.

'Tot zaterdag drie uur,' zegt Wouter.

De keukendeur slaat achter hem dicht.

Terwijl René in een tijdschrift bladert, staat Wouter in de garage bij de sportstoel van zijn tegenstander. Hij hoeft niet naar de manege, want hij zou niet weten wat hij daar te zoeken heeft. Wel zoekt hij naar losse draadjes in de versleten zitting van de sportstoel.

Toen hij de stoel van René in de garage zette, kwam het plannetje in hem op. Hij weet dat hij begint aan een onsportieve actie, maar hij weigert daaraan te denken.

Ik wil winnen! schiet het door zijn hoofd. Dit keer moet ik winnen! En je mag alles doen om dat voor elkaar te krijgen. Alles?

Jazeker, want van een rolstoeler verliezen, zou een enorme blunder zijn.

Ik kan mijn gezicht nooit meer laten zien op de tennisbaan. Mijn vrienden zullen me er elke dag aan herinneren. Achter mijn rug zal ik uitgelachen worden en ik zal gepest worden met zogenaamd grappige opmerkingen. 'Ga je de volgende wedstrijd tegen een blinde spelen, Wouter? Misschien heb je dan meer kans om te winnen.'

Hij hoort het ze al zeggen.

Wouter peutert het eerste draadje los. Die zitting valt al bijna van ellende uit elkaar, denkt hij. René moet betere spullen kopen en niet alleen dromen over een Ferrari, een rolstoelferrari.

Weer pulkt Wouter een draadje los en stopt het in zijn broekzak. Schichtig kijkt hij naar de deur. Stel je voor dat er plotseling iemand binnenkomt. Met twee handen drukt hij op de zitting. Die kraakt, maar blijft op zijn plaats. Het

37

is niet de bedoeling dat René zich een ongeluk valt, denkt Wouter. Hij moet in de loop van de wedstrijd voelen dat hij steeds moeilijker op zijn stoel kan blijven zitten. Dan verliest hij zijn aandacht voor het spel en heb ik meer kans om te winnen.

Plotseling vindt Wouter het genoeg. Hij rent de garage uit, springt op zijn fiets en racet de oprit af, alsof de duivel hem op de hielen zit.

'Kijk uit!' klinkt een heldere meisjesstem.

Meteen knijpt hij in zijn remmen en draait hij aan zijn stuur. Met piepende banden komt zijn fiets tot stilstand. De fietser die hem tegemoet rijdt, doet gelukkig precies hetzelfde. Ze raken elkaar net niet.

Wouter kijkt op. Renate glimlacht naar hem, maar de angst staat nog op haar gezicht.

'Sorry!' roept Wouter, terwijl hij op zijn trappers gaat staan en weg fietst. Verbaasd kijkt Renate hem na.

Onderweg naar huis heeft Wouter eigenlijk al spijt van zijn sabotage aan de rolstoel van René. Toch kan hij niet terug. Ach, die zitting houdt het nog wel een wedstrijd, probeert hij zichzelf gerust te stellen. Wat daarna gebeurt, zien we wel. Hij trekt de losse draadjes uit zijn broekzakken en gooit ze in de struiken.

5. Een scherpe bocht

Het is zaterdagmiddag. Klokslag drie uur staan de twee
jongens tegenover elkaar op de tennisbaan. De vader van
René zit weer op de scheidsrechtersstoel. Er is dit keer bijna
geen publiek: alleen Renate zit op de tribune.
De andere banen zijn ook bezet, want het herenteam van
de club speelt tegen het team van een dorp in de buurt.
Voor die wedstrijden is meer belangstelling.
Deze keer wint René de toss. Hij mag dus beginnen met
serveren, maar hij laat het flauwe grapje van 'die heb ik in
ieder geval al gewonnen' achterwege. Maar Wouter kan het
niet laten dat tegen hem te zeggen.
'Die heb je in ieder geval al gewonnen.'
René zucht overdreven diep en geeft Wouter een hand:
'Prettige wedstrijd.'
'Prettige wedstrijd.'

Of het komt door zijn ergernis over dat flauwe grapje, weet
René niet. Maar de eerste game verliest hij meteen.
Wouter breekt met gemak door zijn opslag heen. Hij rent
met opgeheven vuist naar het scorebord en laat zien dat het
1-0 voor hem is.
'Jij kunt er nu ook bij,' zegt hij bij het wisselen van
speelhelft.
René kijkt naar het scorebord dat nu veel lager hangt dan
bij de eerste wedstrijd die ze tegen elkaar speelden.

'Je bent op je wenken bediend,' zegt zijn vader. 'Ik hoop dat je er vaak gebruik van gaat maken.'

'Daar hoef je niet aan te twijfelen, papa,' zegt René.

Inderdaad breekt hij daarna meteen door de opslag van Wouter heen en staat het weer gewoon 1-1.

De rest van de eerste set verloopt tot 5-5 zonder dat duidelijk wordt wie zal gaan winnen. De tennissers geven elkaar niets toe.

René wendt en keert met zijn sportstoel, remt plotseling af en racet dan weer naar voren om op tijd bij de bal te zijn. Slechts af en toe moet hij hem twee keer laten stuiten.

Wouter laat zich ook van zijn beste kant zien. Soms moet hij diep door zijn knieën zakken om de lage ballen van René terug te kunnen slaan.

In de loop van de wedstrijd ontdekt Wouter dat René er moeite mee heeft als hij de bal kort over het net speelt. Vooral als hij hem eerst diep het veld in slaat. Dan moet René zijn rolstoel snel in de juiste richting zetten. Dat kost hem zoveel tijd dat hij te laat bij de bal is. Daardoor snoept Wouter op de stand van 5-5 weer een game van hem af: 6-5. Vervolgens behoudt hij zijn eigen opslag en wint hij de eerste set met 7-5.

'Yes!' roept hij.

Renate is inmiddels bij de baan komen staan. 'Jammer, René,' zegt ze.

'Het gaat niet zoals ik wil,' zegt René. 'Het lijkt of mijn stoel er vandaag geen zin in heeft. Het leer van mijn zitting kraakt harder dan anders.'

'Dat komt omdat je zo fel speelt,' zegt Renate.

'Toch zit ik vandaag niet fijn.'

Wouter schudt zijn hoofd. 'Je weet toch wel wat onze tennisleraar vroeger zei? "Als je verliest, krijgen je racket, de ballen of het weer de schuld, maar als je wint heb je het puur aan jezelf te danken."'

'Jij hebt de eerste set eerlijk gewonnen, hoor,' bijt René hem toe. 'Maar toch is er iets met mijn stoel.'

'Wil je stoppen?'

'Ben je gek!'

'Krakende wagens lopen het langst!' roept de vader van René vanuit zijn hoge stoel.

De drie kinderen kijken omhoog. 'Wat bedoel je daarmee?' vraagt Renate.

'Het is een spreekwoord dat we vroeger op school leerden. Kom, we gaan weer verder. René is aan de beurt om te serveren.'

'Moet je je stoel niet controleren?' vraagt Renate.

René maakt een wegwerpgebaar met zijn racket.

'Dit krakende wagentje houdt het nog wel even vol.'

Hij is erop gebrand de tweede set te winnen, zodat een derde de beslissing moet brengen. Wouter staat amper op zijn plaats als de eerste opslag van René al langs hem heen vliegt: 15-0.

'Ik was nog niet klaar!' roept Wouter, terwijl hij naar de scheidsrechtersstoel kijkt.

De vader van René knikt.

'Dat klopt. Je moet opnieuw serveren, René.'

Hij wil protesteren, maar de strenge blik van zijn vader weerhoudt hem ervan. In zijn hart weet hij dat zijn vader gelijk heeft, maar het was het proberen waard.

René wint de eerste game toch. Ze wisselen van speelhelft.

'Je kunt het, broertje,' fluistert Renate.

'Broertje?' vraagt René, 'ik ben ouder dan jij.'

'Ik bedoel het erg aardig,' zegt Renate. 'Liefkozend, heet dat.'

'Noem je mijn tegenstander dan ook Woutertje?'

Renate bloost. 'Ik ga weer op de tribune zitten.'

'Het is 1-0 voor mij,' lacht René.

De tweede set gaat ook weer gelijk op.

René en Wouter zeggen niets meer tegen elkaar. Zwijgend slaan ze de ballen. Zelfs bij een mooi gespeeld punt komt er amper reactie. Een klein vuistje is het enige wat ze laten zien. Een wedstrijd om het kampioenschap van de club zou niet feller gespeeld kunnen worden. De twee tegenstanders zweten en zuchten zich door de punten heen. Wie als winnaar uit de strijd zal komen, is niet te voorspellen.

Maar dan gebeurt het.

Wouter slaat een hoge bal met de bedoeling over René heen te spelen. René draait zijn sportstoel en rolt zo snel hij kan naar de achterlijn waar hij de bal verwacht. Om

43

die terug te slaan, moet hij een scherpe bocht maken. Hij hangt schuin in zijn stoel en er klinkt een korte knap die alleen hij hoort.

De zitting van de sportstoel scheurt aan de zijkant af. De voeten van René schieten van de steunen. Omdat zijn benen geen kracht hebben, kunnen ze het lijf van René niet dragen en glijdt hij vanuit zijn stoel op het kunstgras. Dat gaat tergend langzaam. Als filmpje op de televisie of op internet zou het komisch geweest zijn.

Renate gilt, haar vader weet niet hoe snel hij van zijn stoel af moet komen en zelfs Wouter slaat zijn hand voor zijn mond. Deze afloop had hij met zijn sabotage niet gewild, écht niet.

René grijpt naar zijn lege sportstoel en probeert zich omhoog te trekken. Dat is onbegonnen werk omdat de stoel niet op de rem staat en dus telkens achteruit rolt. Rolstoel, rotstoel!

Zijn vader en Renate slaan hun armen om zijn middel en zetten hem op het bankje naast de baan.

Wouter staat erbij alsof alles in een film gebeurt en hij slechts toeschouwer is.

'Doe ook eens wat!' roept Renate. 'Pak die kapotte stoel en breng hem hierheen.'

Ze zitten naast elkaar op het bankje bij de baan. René huilt. Niet van verdriet, maar van woede. Zijn vader bekijkt de stoel.

'De zitting is precies op de naad gescheurd,' zegt hij. 'Die slijtage was toch erger dan we dachten.'

'Kan hij gerepareerd worden?' snikt René.

'Natuurlijk, in zorgcentrum De Eikelaar is een werkplaats voor rolstoelen.'

'Ik bedoel: kan hij nu hier op de club gerepareerd worden?' Bij elk woord dat hij uitspreekt, wijst René met een dwingende vinger naar het kunstgras.

'Geen denken aan,' antwoordt zijn vader. 'Daar hebben we het gereedschap niet voor. Bovendien weet niemand hier hoe zo'n rolstoel precies in elkaar zit.'

'Ik moet binnen twintig minuten weer op de baan staan,' zegt René, terwijl hij hard op zijn borst tikt.

Zijn vader maakt een wanhopig gebaar met zijn handen. 'Dat is onmogelijk!'

'Het moet, want zo is de spelregel. Als mijn stoel niet binnen twintig minuten in orde is, heb ik de wedstrijd verloren!'

Wouter kijkt van de een naar de ander. Hij zou er alles voor over hebben als hij de tijd nu kon terugdraaien. Dan zou hij bij René in de keuken een glas fris drinken en daarna gewoon naar huis gaan. Niet de garage in sluipen, geen sabotage plegen aan de sportstoel van René. Wèl bijna tegen Renate op botsen, want dat liep goed af en ze trok zo'n grappig angstig gezicht.

'Je hoeft je wat mij betreft niet precies aan die twintig minuten te houden, René,' zegt hij. 'We hebben tijd genoeg.'

45

'Die spelregel is er niet voor niks!'

René schreeuwt het uit.

'Vorige week zei je dat die regel niet zo belangrijk is.'

'Ik zei dat hij bijna nooit gebruikt werd, omdat de kans dat je rolstoel kapot gaat, heel klein is. Maar deze rotstoel is zo slap als ... als mijn benen!'

Woedend stompt René tegen zijn bovenbenen. Hij had zich er zo op verheugd van Wouter te winnen, maar het loopt allemaal heel anders dan hij verwacht had.

Renate pakt zijn vuisten vast. 'Hou daar alsjeblieft mee op!'

Langzaam zakt de woede van René. Als verdoofd blijft hij voor zich uit staren.

'Kunnen we de stoel niet snel naar die werkplaats brengen, zodat ze hem meteen repareren?' vraagt Renate aan haar vader.

Hij schudt zijn hoofd. 'Het is vijf uur geweest. Volgens mij is de werkplaats al dicht en is het personeel naar huis. Echt spoedeisend is die reparatie eigenlijk niet, want René kan nog vooruit in zijn gewone rolstoel. Dus als die werkplaats nog open zou zijn, zou ik beslist geen voorrang durven vragen.'

'Het lukt toch niet binnen twintig minuten,' zegt René schor.

'Maandagochtend breng ik die stoel meteen weg,' belooft zijn vader. 'En als ik hem weer mag ophalen, vraag ik de dikste bewoner van De Eikelaar erin plaats te nemen. Hij mag wiebelen en schudden zoveel hij wil, zodat ik zeker

weet dat de zitting goed gerepareerd is.'

Niemand lacht om zijn grapje.

René rolt naar Wouter toe en steekt zijn hand uit. 'Gefeliciteerd met je overwinning.'

Wouter pakt de hand van René aan. 'Dank je, maar ...'

Verder komt hij niet. Hij draait zich om en rent de baan af. Zijn rugzak met daarin zijn tennisracket slaat tegen zijn rug. Het lijkt of hij daardoor nog harder gaat rennen.

6. Spijt

Als René in bed ligt, staart hij met open ogen naar het witte plafond. Het lijkt of daarop de film van de wedstrijd afgespeeld wordt. En niet één keer, maar de herhalingen volgen elkaar in een steeds sneller tempo op. Hij ziet zichzelf achter de hoge bal van Wouter aan rollen, driftig keren en als een blok beton door zijn stoel zakken. Alsof hij een medewerker van een sportprogramma is, geeft hij zelf commentaar bij die korte reportages.

Ik had de bal terug kunnen spelen, als mijn stoel niet kapotgegaan was.

Rolstoel, rotstoel!

Dan had ik de tweede set met gemak gewonnen, zeker weten.

Rolstoel, rotstoel!

Dan had ik Wouter in de derde set geen enkele kans meer gegeven. Het zou binnen twintig minuten 6-0 voor mij geworden zijn. Einde wedstrijd, proficiat René, dankjewel Wouter, goed gespeeld, de volgende keer beter, dankjewel René ...

Rolstoel, rotstoel!

René balt zijn vuisten. Hij zou willen dat hij de volgende dag zijn rolstoel niet meer nodig had. Dat zijn benen 's nachts besloten zouden hebben dat het grapje nu lang genoeg geduurd heeft. Soms gebeuren er toch van die

wonderen? Er zijn boeken die er vol mee staan. Op school heeft meester Eddie wel eens een passage voorgelezen uit een boek met als titel *Onverklaarbare gebeurtenissen.*
Daarin genazen mensen plotseling van ziektes, werden ze na weken nog levend onder het puin van een ingestort huis vandaan gehaald of overleefden ze de val van de derde etage van een flat.
Hopend op zo'n wonder valt René in slaap.

Ook Wouter ligt in bed, maar hij zal voorlopig nog niet kunnen slapen. Ook hij kijkt naar een film, maar die speelt zich achter zijn gesloten ogen af. Het is een heel andere reportage dan die van René. Honderden keren ziet hij zich-zelf draadjes uit de zitting van de sportstoel van René trek-ken. Wat bezielde mij om zo'n sabotage te plegen? vraagt hij zich keer op keer af. Hoe heb ik zo stom kunnen zijn? Waarom heb ik zo'n ravage aangericht? Ik ben slecht; de moeite niet waard ...
René heeft me nog wel gefeliciteerd met mijn overwinning. Mooie winnaar ben ik!
Wouter draait zich op zijn andere zij, stompt een gat in zijn kussen en begraaft zijn hoofd er diep in. Hoe kan ik het weer goedmaken met René? denkt hij. Moet dat wel? Niemand hoeft ooit te weten te komen wat ik gedaan heb, want de zitting was al versleten. René zou er vroeg of laat toch wel doorheen gezakt zijn.
'Vroeg of laat, ja,' zegt een stemmetje in zijn hoofd. 'Dat is

mooi gezegd, maar jij hebt ervoor gezorgd dat het wel heel vroeg gebeurde. En net op het moment dat jij het nodig had, vent, want jij wilde winnen van René.'

Zo draaien Wouters gedachten in een kringetje rond. Hij weet dat hij dag in dag uit aan zijn geheim zal moeten denken als hij het niet opbiecht. Hij moet zijn hart luchten, maar bij wie?

Terwijl Wouter zich dit afvraagt, komt de slaap toch eindelijk.

Nog half slapend klimt Wouter de volgende ochtend op zijn fiets en rijdt naar school. Die weg kan hij dromen en dat doet hij ook. Renate komt van rechts uit een zijstraat gereden en denkt dat hij wel vaart zal minderen om haar voor te laten gaan. Die verkeersregel kent iedereen. Dat zou Wouter ook heus wel gedaan hebben, als hij haar gezien had.

Renate moet uit alle macht remmen om een botsing te voorkomen. 'Kijk uit!' gilt ze. Wouter draait traag zijn hoofd haar kant op en ... rijdt gewoon door.

Pas als Renate naast hem komt rijden, schiet het door hem heen dat hij haar een moment eerder gezien heeft.

'Slaapkop!' roept Renate hijgend.

'Dat klopt helemaal,' zegt Wouter, 'ik ben nog niet wakker geweest.'

'Dit is de tweede keer binnen een week dat je bijna tegen me op botst,' zegt Renate. 'Dat kan geen toeval zijn.'

'Toeval?' vraagt Wouter. Hij trekt daarbij vast een dom gezicht, want Renate schiet in de lach.

Wouter lacht met haar mee. 'Toeval bestaat niet' heeft hij zijn tante die uit Indonesië komt, ooit tegen zijn moeder horen zeggen. Toen geloofde hij er niets van, maar nu begint hij te begrijpen wat zij bedoelde. Hij weet ook meteen aan wie hij zijn geheim kwijt kan.

'Kan ik je na school even spreken?' vraagt hij.

Renate krijgt als eerste een kleur als vuur en Wouters gezicht volgt al snel.

'Het gaat over iets anders dan eh... wat jij denkt,' zegt hij vlug.

'Jammer.'

Het is eruit, voordat Renate er erg in heeft.

Renate en Wouter staan in de hoek van de fietsenstalling van de supermarkt.

'Ik heb niet veel tijd,' zegt Renate, 'want ik ga vannacht bij mijn vriendin logeren. Daarom was ik vanmorgen op de fiets.'

'Hoe is het met René?' vraagt Wouter.

Renate kijkt hem verbaasd aan. 'Dat had je aan hem kunnen vragen, want je hebt hem de hele dag in de klas gezien.'

'En met zijn sportstoel?' gaat Wouter verder.

Renate zucht. 'Die wordt gerepareerd. Morgen is hij klaar, geloof ik. Heb je nog meer van die interessante vragen?'

Ze kijkt op haar horloge.

Alsof Renate daarmee een startsein gegeven heeft, ratelt Wouter aan één stuk af wat hij gedaan heeft. Hij staart langs haar heen naar een grote reclameplaat, praat maar door en praat maar door ...

Plotseling is hij klaar. Er valt een stilte die slechts onderbroken wordt door het gerammel van winkelwagentjes.

'Dat is gemeen,' fluistert Renate. 'En ik vond je nog wel zo aardig.'

'Daarom durf ik het aan jou te vertellen,' zegt Wouter.

'Ik wil het goed maken met René.'

'Hij heeft vreselijk veel moeite met de slechte afloop van de wedstrijd,' zegt Renate. 'En hij moet nog steeds wennen aan zijn rolstoel. Weet je wat hij elke dag wel een paar keer zegt? "Rolstoel, rotstoel!"'

Wouter weet niet wat hij hierop moet antwoorden. Hij voelt zich opgelucht dat hij zijn geheim gedeeld heeft met Renate, maar hoe moet het nu verder?

Het lijkt of Renate zijn vraag gehoord heeft. Ze glimlacht naar hem en zegt: 'Er is een manier om het goed te maken met René. Je daagt hem uit voor nog één wedstrijd. Je geeft toe dat je de afgelopen wedstrijd eigenlijk niet gewonnen hebt, omdat zijn stoel kapotging.'

De ogen van Wouter beginnen te schitteren. 'Dat is het! En dan laat ik hem expres winnen met twee keer 6-0!'

Renate pakt hem bij zijn schouders en schudt hem wild door elkaar. 'Als je dat maar uit je hoofd laat! René heeft

53

zoiets direct door, want sinds hij in een rolstoel zit, verwacht hij dat juist van andere mensen. In de winkel laten
ze hem uit medelijden voor gaan, op school dragen ze zijn
tas, thuis verwent vooral mijn moeder hem enorm. Ze
lijkt zijn dienstmeisje wel. Het wordt langzaam beter, maar
René vindt die overdreven aandacht vreselijk. Nou ja, op
dat verwend worden door mijn moeder na dan. Dat vindt
hij wel prettig. Maar als hij erachter komt dat jij hem expres hebt laten winnen, wil hij nooit meer iets met je te
maken hebben.'
'Dat wil hij toch al niet, als hij hoort wat ik in jullie garage
gedaan heb.'
Renate kijkt hem met grote ogen aan. 'Moet hij dat dan te
weten komen?'
'Wat bedoel je?'
'Vanmorgen was je niet uitgeslapen, maar het lijkt of je nu
nog staat te slapen. Jouw actie, Wouter, blijft een geheim
tussen ons tweeën.'
'Lukt dat?'
'Wel als jij je mond kunt houden.'
'Dus je bent niet kwaad op me?'
'Natuurlijk ben ik kwaad op je, woest zelfs. Het was een
laffe daad, maar niemand schiet er iets mee op als ik het
aan René en aan mijn ouders vertel.'
Wouter wrijft over het stuur van zijn fiets. Dus hij en
Renate delen nu een geheim. Dat geeft hem een prettig ge-
voel. Hij begrijpt dat ze kwaad op hem is, maar ze hebben

nu samen iets. Nou ja, het is geen verkering, maar ... het geheim van de rolstoel. Hij moet erom lachen. Meteen trekt hij weer een ernstig gezicht.

'Ik regel een tenniswedstrijd tussen jou en René. Maar denk eraan: het moet een echte wedstrijd worden, geen slap partijtje. Deze keer moet de beste winnen,' zegt Renate. Wouter knikt.

Renate kijkt op haar horloge. 'Ik moet opschieten, want Femke zit op mij te wachten. Ze weet dat ik wat later kom, maar ze zal zich toch afvragen waar haar logee blijft.'

'Waarom ga je eigenlijk bij haar logeren?' vraagt Wouter.

'Ze geeft een slaapfeestje.'

Wouter glimlacht naar haar. 'Vannacht zal ik beter slapen dan gisteren.'

'Ik niet,' zegt Renate. Ze springt op haar fiets en rijdt weg. 'Als je me vijf minuten voorsprong geeft, botsen we vandaag niet meer tegen elkaar op!' roept ze.

Wouter steekt zijn hand op. Hij zou een kushandje achter haar aan willen sturen, maar dat doet hij niet. Ze delen samen een geheim en dat is genoeg.

7. Die bal was in!

Overal rond en in de tennisclub hangen posters. Daarop wordt de wedstrijd tussen René en Wouter in felle kleuren aangekondigd. Ook op school heeft Renate reclame gemaakt. Zelfs meester Eddie heeft beloofd dat hij zondagmiddag om drie uur zal komen kijken. En dat wil wat zeggen, want met zijn groeiende buikje is hij beslist geen sportief figuur. Ook de juf die in groep 6a stage loopt, wil erbij zijn.

De vader van René had er geen moeite mee voor de derde keer op de scheidsrechtersstoel plaats te nemen.

'Ik hoop dat je sportstoel het dit keer houdt, René,' had zijn moeder bezorgd gezegd.

'Stel je voor dat ...'

Ze had geen kans gekregen om haar zin af te maken. De vader van René was in de sportstoel gesprongen en was er wild mee door de huiskamer gaan rijden. Daarbij had hij met zijn billen op en neer gewipt alsof hij heel erg naar de wc moest.

'Voorzichtig!' had Renate geroepen.

'Dit karretje houdt zelfs een olifant,' had haar vader geantwoord. 'De kans dat ik door de scheidsrechtersstoel zak, is groter.'

De posters van Renate hebben hun werk goed gedaan, want de tribune bij baan één zit vol. Er moeten zelfs mensen langs de baan gaan staan. Bijna alle klasgenoten van René zijn er. Ze hebben spandoeken gemaakt waarop staat *Wouter en René uit groep zes geven tennisles! Hoera voor twee kanjers uit 6a! Wij staan achter jullie!*

Meester Eddie zit als een standbeeld rustig glimlachend tussen zijn leerlingen. Zijn stagiaire zit naast hem.

René zwaait naar het publiek. Zijn aandacht wordt getrokken door een man met een tropenhelm op. Naast hem zit zijn klasgenoot Sebastiaan. Die steekt beiden duimen naar hem op.

Renate staat ook op en zwaait met twee handen terug.

'Succes!' schreeuwt ze.

'Dank je, Renate!' hoort René naast zich terugroepen. Het is Wouter die zijn handen als een toeter voor zijn mond houdt. Als hij in de gaten krijgt dat René naar hem zit te staren, heeft hij ineens veel aandacht voor een pluisje op zijn tennisracket.

Toen Renate hem voorstelde nog een wedstrijd tegen Wouter te spelen, was René het er meteen mee eens geweest. Al had hij het wel vreemd gevonden dat zijn zus ermee kwam en niet Wouter zelf.

'Hij laat de organisatie van de wedstrijd graag aan mij over,' had Renate geantwoord.

René had zijn ogen tot spleetjes geknepen en gezegd: 'Jullie zijn wel dik met elkaar, hè? Gaat jouw hulp zo ver dat je hem voor de wedstrijd ook nog een massage geeft?'

'Wil je tennissen of niet?' had Renate geroepen om haar

tweelingbroer geen kans te geven nog meer lastige vragen te
stellen.

'Altijd!'

De twee jongens staan op de baan. De moeder van René
helpt hem met het overstappen van zijn gewone rolstoel
naar zijn sportstoel. Ze kijkt naar boven. 'De lucht is don-
ker,' zegt ze. 'In de krant stond dat de kans op regen meer
dan zestig procent is.'

'Dat is een hoog percentage,' zegt René. 'Maar de krant
heeft het wel vaker mis. Bovendien staat er veel wind, dus
de buien waaien vast over.'

'Ik hoop het, want deze wedstrijd moeten jullie tot een
goed einde brengen. De beste moet vandaag winnen.'

'Dat ben ik,' zegt René.

Zijn moeder glimlacht naar hem. 'Je bent nog steeds een
felle tegenstander. Daar heeft die rolstoel gelukkig niets aan
veranderd.'

'Prettige wedstrijd,' wenst René, terwijl hij de hand van
Wouter schudt.

'Hetzelfde,' antwoordt Wouter.

'Hou het sportief, jongens,' waarschuwt de vader van René
vanaf zijn hoge zitplaats. 'En hou de punten kort, want ik
waai bijna van mijn stoel af.'

Wouter mag beginnen met serveren en hij verliest zijn
opslag meteen. Binnen tien minuten staat René met 4-0

voor. Wantrouwend kijkt hij naar de overkant van het net. Dat gaat gemakkelijk, denkt hij. Een beetje té gemakkelijk. Het lijkt of Wouter niet met zijn gedachten bij de wedstrijd is. Hij mist ballen die hij anders voluit terugslaat. En nu staat hij weer aan zijn racket te plukken. Heeft hij geen zin in de wedstrijd? Of moet hij te veel aan Renate denken? René lacht kort. Haar spiegelbeeld staat tegenover hem, denkt hij. Wél in de jongensversie, maar misschien ziet hij dat niet eens, want liefde is toch blind?

'Zet 'm op, Wouter!' roept iemand vanaf de tribune. 'Geef mijn broer ervan langs!' Het is Renate. Wouter steekt zijn racket omhoog.

'Zet 'm op, René!' moedigt zijn klasgenoot Sebastiaan hem aan.

'Geef Wouter ervan langs!' Het is zijn moeder.

'Hup René!' roept de man met de tropenhelm.

René steekt zijn racket ook maar de lucht in.

Wouter komt nog terug tot 4-5, maar René wint de eerste set toch met 6-4. Hij juicht en rijdt een ererondje over de baan, alsof hij de hele wedstrijd al gewonnen heeft. Wouter schudt met zijn hoofd en gooit zijn racket naar het bankje waarop zijn tas en zijn handdoek liggen. 'Het lukt vandaag voor geen meter!' roept hij.

'Ik had meer strijd verwacht,' zegt René.

'Ik ook, maar mijn benen zijn zo slap als ... als ...,' begint Wouter.

'Die van mij?' vult René aan.

'Dat wilde ik helemaal niet zeggen!' roept Wouter, terwijl hij zijn schouders laat hangen.

'Maar ik heb toch de eerste set gewonnen,' zegt René. Hij balt zijn vuisten en roffelt op de velgen van zijn sportstoel.

Aan het begin van de tweede set lukt het Wouter zijn opslag te behouden en komt hij met 1-0 voor te staan. Hij breekt zelfs door de opslag van René heen: 2-0, maar de volgende twee games zijn weer voor René.

Op de stand van 2-2 mag Wouter weer serveren. Zijn eerste bal verdwijnt in het net. Zijn tweede opslag komt wel over het net heen, maar vanaf de scheidsrechtersstoel klinkt: 'Uit! Dubbele fout!'

Wouter blijft stokstijf staan, zijn mond valt open van verbazing. 'Dat meent u niet! Hij was zeker een halve meter in!'

'Die bal was achter de lijn, Wouter,' zegt de vader van René. 'Ik kan het vanaf deze hoge stoel beter zien dan jij.'

'Hij was in, hè René?'

'Ik heb het niet goed kunnen zien,' zegt René.

'Jij stond er vlakbij, bijna met je neus op de lijn. Je moet gezien hebben dat die bal in was.'

'Ik ben de scheidsrechter, Wouter,' zegt de vader van René. 'En ik beslis dat hij uit was.'

Wouter smijt zijn racket zo hard op het kunstgras dat hij terug stuitert. 'Dat is niet eerlijk!' schreeuwt hij. 'U trekt uw zoon voor!'

René rolt naar het net. 'Dat zou mijn vader nooit doen,' zegt hij. 'Maar als je wilt, spelen we het punt opnieuw.' 'Geen denken aan,' zegt zijn vader. 'Die bal was uit en daarmee uit!'

Hij kijkt op zijn horloge. 'Ik geef je één minuut om rustig te worden, Wouter. Eigenlijk moet ik de wedstrijd nu stoppen en dan heeft René gewonnen. Maar ik wil je nog een kans geven. Jouw tijd gaat nu in.'

Wouter pakt zijn racket en loopt naar het bankje. Hij zucht een paar keer diep, neemt een slok water en veegt met zijn handdoek over zijn voorhoofd. Renate komt bij hem staan en fluistert iets in zijn oor. Hij knikt, loopt naar de vader van René en steekt zijn hand op. 'Ik bied mijn excuses aan voor mijn gedrag daarnet, scheids,' zegt hij met een heldere stem.

'We gaan verder!' roept de vader van René, terwijl de eerste regendruppels beginnen te vallen.

8. Een enorme ravage

Na die eerste regendruppels volgen er meer, veel meer, en het begint ook harder te waaien. Een paar toeschouwers hadden erop gerekend en steken hun meegebrachte para- plu's op. Ook worden regenjacks dicht geritst en capuchons opgezet. De druppels tikken hard op de tropenhelm van de man op de tribune.

Slechts enkele toeschouwers houden het voor gezien en rennen naar hun fietsen of auto's. De klasgenoten van René en Wouter blijven allemaal zitten. Hun spandoeken hebben ze opgerold. Daar was door de harde wind toch al niet veel van overgebleven.

Op de baan gaat de wedstrijd verder. René weet dat de regen in zijn nadeel werkt. De wielen van zijn sportstoel glijden vaak weg en bij het remmen schiet hij door. Toch wil hij van geen ophouden weten. Ook Wouter denkt er niet aan om te stoppen, al heeft hij veel last van de wind. Maar dat probleem heeft René ook.

In de tweede set gaat het gelijk op. René bijt zich vast in de wedstrijd en scoort mooie punten. Ook Wouter laat zich niet kennen. Het blijft lang onduidelijk wie de tweede set zal winnen. Wouter weet dat hij er een derde set uit kan slepen als hij deze tweede wint. René zal de wedstrijd in twee sets winnen als hij Wouter in deze set de baas blijft. De twee tennissers worden kletsnat. De moeder van René heeft de scheidsrechter een paraplu gebracht, maar die ving te veel wind en sloeg meteen dubbel. Bibberend van de kou zit hij nu op zijn uitkijkpost. Het is niet om te doen, denkt hij, maar hij durft de wedstrijd niet te stoppen.

Het lukt René niet door de service van Wouter heen te breken. Doordat Wouter in de tweede set begonnen is met serveren, kijkt René steeds tegen een achterstand aan. Bij de stand van 4-3 in het voordeel van Wouter gaat het bijna mis. Wouter merkt dat René moeite heeft met starten en speelt steeds vaker korte balletjes over het net. Daar scoort hij een paar punten mee en René komt op zijn eigen service met 0-30 achter. René besluit het erop te wagen: na zijn opslag rolt hij naar het midden van zijn speelveld en blijft daar wachten. Natuurlijk probeert Wouter een hoge bal over hem heen te slaan, maar hij heeft wind tegen. De bal blijft even in de lucht hangen, zodat René met een flinke klap een punt kan maken. Daar wordt Wouter onzeker van. Als hij de volgende bal laag over het net wil slaan, raakt die de netband en valt op zijn eigen helft terug. Weer een punt voor René, dus. Uiteindelijk wint René de game toch nog en is de stand weer gelijk. Het lijkt of Wouter door die gemiste kansen het vertrouwen in zichzelf verloren heeft. Hij slaat een paar makkelijke ballen uit, waardoor René door zijn opslag heen breekt. Het wordt 5-4 voor hem. De volgende game verliest René weer: 5-5.

Het regent nog steeds. De ballen worden natter en zwaarder. Het is eigenlijk geen wedstrijd meer die de jongens spelen, maar een loterij. Wie heeft het meeste geluk? Wie slaat zich het beste door de regen en de wind heen?

Bezorgd kijkt de vader van René naar boven. De lucht is pikzwart geworden. Er dreigt onweer. Hoort hij in de verte het doffe gerommel van de donder al of verbeeldt hij zich dat?

Wouter moet weer serveren. Hij zet alles op alles om de tweede set te winnen en hij weet dat hij dan risico's moet nemen. Daarom slaat hij de ballen scherp naar buiten toe, zo dicht mogelijk tegen de buitenlijnen aan. Een paar keer ketsen ze er zelfs met een korte tik van af. Ook al mag René elke bal twee keer laten stuiten, hij is kansloos. Het wordt 6-5 voor Wouter en daarna 7-5. Een derde set moet dus de beslissing brengen.

René rolt naar de zijkant van de baan en laat zijn vader zijn handen zien. De binnenkant is rood en opgezwollen. Zijn vader schrikt ervan.

'De slijtage aan de zitting van mijn stoel is verholpen, maar nu slijten mijn handen,' zegt René. Het klinkt als een grapje, maar zijn vader ziet aan zijn gezicht dat hij het niet grappig bedoelt.

'We zullen snel van die halve handschoenen voor je kopen,' zegt hij.

'Doet het pijn?' vraagt Wouter.

'Gaat wel,' antwoordt René, 'maar elke keer als ik vaart wil maken, lijkt het alsof er een paar honderd naalden in mijn vel prikken. Kom, we gaan aan de derde set beginnen.'

Wouter kijkt naar de vader van René. Die haalt zijn schouders op. Hij weet dat hij zijn zoon toch niet op andere gedachten kan brengen. Weer kijkt hij naar de lucht. Die lijkt nog zwarter geworden te zijn. Het wordt noodweer, denkt hij. Misschien valt het mee, want het regent bijna niet meer. Ook is de wind wat gaan liggen. Of is het de stilte voor de storm?

De tennissers zijn net aan de derde set begonnen als een enorme donderslag de lichtmasten op de hoeken van de baan doet trillen. Meteen schiet een bliksemflits langs de zwarte hemel. De vader van René staat op van zijn stoel en klimt snel naar beneden.
'Einde van de wedstrijd!' roept hij halverwege het trapje.
René rolt naar hem toe. 'Dat kun je niet maken, papa!'
Zijn vader pakt hem bij zijn schouders. 'Het is veel te gevaarlijk om te tennissen tijdens onweer. Stel je voor dat de bliksem in je stoel slaat. Dan verbrand je.'
'Ik sta met 2-0 voor!' schreeuwt René.
'Toch moet ik een einde maken aan de wedstrijd,' zegt zijn vader. 'Zo zijn de regels.'
'Je vader heeft gelijk, René,' zegt Wouter.
'Natuurlijk geef je mijn vader gelijk, want je bent flink aan het verliezen.'
Wouter zegt niets terug. Hij pakt de gewone rolstoel van René en rijdt die naar hem toe. 'Kom, we gaan iets drinken. Ik trakteer.'

Een nieuwe donderslag rolt door de zwarte lucht. Daarachter lijkt een waterval mee te komen, want het begint weer te regenen. Het buitje van daarnet was daar maar kinderspel bij. De tribune stroomt leeg. Iedereen rent gillend en schreeuwend naar het paviljoen. René laat zich gedwee door Wouter helpen, want hij ziet nu in dat tennissen in dit noodweer onmogelijk is.

'Ik ben nat tot in mijn onderbroek,' zegt Wouter als hij de voeten van René op de steunen zet.

In het paviljoen is het een enorme ravage. Overal liggen jassen, paraplu's, handdoeken en papieren servetten. De vloer is kletsnat en op sommige plekken bedekt met een laag modder waarin afdrukken van schoenen staan. Tussen al die rommel zitten de klasgenoten van René en Wouter. Het water druipt van hun haren, gezichten en kleren, en ze hebben het koud. Toch klappen ze in hun handen als René en Wouter binnenkomen.

Meester Eddie en zijn stagiaire zitten aan de bar achter een groot glas bier.

Sebastiaan en de man met de tropenhelm zitten ernaast met een glaasje fris.

'Ik wist niet dat tennissen zo leuk was,' zegt meester Eddie tegen René en Wouter. Hij heft zijn glas bier. 'Proost, op jullie volgende wedstrijd. Dan ben ik ook weer van de partij.'

Renate komt naar hen toe. 'Jullie hebben geweldig ge-

69

speeld,' zegt ze.

'Ik had kunnen winnen als mijn vader de wedstrijd niet stilgelegd had,' moppert René.

'Daar weet je niks van,' zegt Renate. 'In de eerste twee sets waren jullie ook aan elkaar gewaagd.'

'Daar heb je gelijk in,' zegt Wouter, terwijl hij schichtig naar René kijkt.

'Toch had ik gewonnen,' houdt René vol. 'Ik had onze tweede wedstrijd al gewonnen als ik niet door mijn stoel gezakt was.'

'Daar heb je gelijk in,' geeft Wouter toe.

Hij voelt van schaamte het bloed uit zijn gezicht wegtrekken, het paviljoen begint te draaien en hij valt als een blok beton voorover. De klap is tot achter in het paviljoen te horen. De gil van Renate ook.

9. Een stomme actie

Renate en haar moeder buigen zich over Wouter heen. Hij opent zijn ogen en kijkt hen verbaasd aan. 'Wat doe ik hier?'

'Liggen,' antwoordt Renate. 'Je bent met je hoofd tegen de vloer geklapt.'

Wouter probeert overeind te komen, maar Renates moeder duwt hem terug. 'Kalm aan. Misschien heb je een hersenschudding. Voel je je misselijk?'

'Valt wel mee.'

'Vertel eens wat er gebeurd is.'

'Wat bedoelt u?' vraagt Wouter. Met een angstige blik in zijn ogen draait hij zijn hoofd naar Renate. Dat kost hem erg veel moeite, want het lijkt of er tussen zijn oren een loden bal heen en weer rolt.

'Kun je je herinneren waarom je gevallen bent?' vraagt Renate.

'Ik werd plotseling misselijk.'

'Weet je waar je nu bent?'

'In het paviljoen van de tennisclub.'

'Tegen wie heb je getennist?' vraagt René.

'Tegen jou.'

'En wie heeft de wedstrijd gewonnen?'

'Dat weet ik niet meer. Maar ik weet wel dat ik enorme koppijn heb.'

'Ik denk dat je een lichte hersenschudding hebt,' zegt de

72

moeder van René. 'We gaan voor alle zekerheid even naar de dokter. Kom, we helpen je overeind.'

'Jullie kunnen hem in mijn sportstoel naar de auto rollen,' zegt René.

Wouter glimlacht naar hem. Meteen knijpt hij zijn ogen dicht, want de loden bal in zijn hoofd reageert zelfs op een glimlachje.

'Pas op dat je er niet doorheen zakt,' fluistert Renate in zijn oor als ze hem het paviljoen uit duwt.

Een paar dagen later is René bij Wouter op bezoek. Zijn tegenstander moet zich van de dokter een weekje rustig houden. 'Je hebt de groeten van de klas, meester Eddie en onze stagiaire,' zegt René.

'Voorlopig mag ik niet tennissen en niet naar de manege,' zegt Wouter als René vraagt hoe het met hem gaat.

Wouter staart langs René heen. De afgelopen dagen heeft hij te veel tijd gehad om na te denken en dus ...

'Ik moet je wat zeggen,' begint hij.

'Hoe vond je het ritje in mijn sportstoel?' vraagt René ineens.

Dat brengt Wouter in verwarring. Hij had wel honderd keer herhaald wat hij zou gaan zeggen en nu weet hij het niet meer.

'Jij bent er gelukkig niét doorheen gezakt,' gaat René verder.

Wouter kijkt hem met grote ogen aan.

73

'Lastig, die losse draadjes,' mompelt René.

'Je weet het al,' fluistert Wouter.

René knikt. 'Dat heb je met tweelingen, Wouter. Die hebben geen geheimen voor elkaar. Bovendien kan een meisje sowieso geen geheim bewaren. En als dat meisje dan nog verliefd is op je tegenstander, tja, dan kom je er snel achter.'

'Wist je al voor de wedstrijd van die eh... sabotage in de garage?'

'Dat rijmt,' lacht René. 'Het zou de titel van een boek kunnen zijn. Nee, Renate heeft het me een paar dagen geleden pas verteld. Ik merkte dat ze ergens mee zat en toen ik haar vroeg wat er aan de hand was, kwam het hele verhaal eruit.'

'Ik weet niet wat me bezielde. Het was gewoon een stomme, stomme actie van me,' fluistert Wouter.

'Dat overkomt iedereen wel eens,' zegt René. 'Je moet ook nooit links van de weg gaan fietsen als de maïs twee meter hoog staat. Dat is vragen om moeilijkheden.'

Wouter steekt zijn hand uit en René pakt die vast. Zo blijven ze zitten tot ze er allebei achterkomen, dat het lang genoeg geduurd heeft.

Sebastiaan komt op bladzijde 58 met zijn oom naar de wedstrijd van René kijken. Met een tropenhelm val je zeker op in het publiek. De meeste mensen kijken er maar vreemd van op. Wil je meer lezen over Sebastiaan en zijn eigenaardige oom? Lees dan 'Een behoorlijk vreemd rijtjeshuis'.

In deze serie zijn de volgende Bikkels verschenen:

Vals spel!
Een behoorlijk vreemd rijtjeshuis
Het dieventeken
De tweelingoma
Klus4run
Gewoon, Marjolein
De zonnekroon
Smidje Smee in de puree

1e druk 2009

ISBN 978.90.487.0147.6
NUR 282

© 2009 Tekst: Peter Vervloed
Illustraties: Els van Egeraat
Vormgeving: Rob Galema
Uitgeverij Zwijsen B.V., Tilburg

Voor België:
Uitgeverij Zwijsen.be, Antwerpen
D/2009/1919/77